Para Carolly, Keko y Chany de Tim Bowley

Título original: *Amelia wants a dog*, 2008

Colección libros para soñar

© del texto: Tim Bowley, 2008
© de las ilustraciones: André Neves, 2008
© de la traducción: Isa Pita, 2008
© de esta edición:
Kalandraka Ediciones Andalucía, 2008

Avión Cuatro Vientos, 7
41013 Sevilla
Telefax: 954 095 558
andalucia@kalandraka.com
www.kalandraka.com

Impreso en C/A Gráfica, Vigo
Primera edición: septiembre, 2008
ISBN: 978-84-96388-29-1
DL: SE 4124-2008

Amelia
quiere un perro

Tim Bowley

André Neves

Amelia entró en la sala.

Su padre estaba sentado en su silla favorita leyendo el periódico.

–Papá –dijo ella–, estaba pensando...

El padre suspiró.

«Cuando Amelia piensa, significa que casi siempre habrá problemas», se dijo.

Amelia continuó:

–Papá, ¿podemos tener un perro?
Podríamos sacarle a pasear por el parque
y también podría dormir en mi cuarto
y no dejaría que los monstruos se acercasen a mi cama.

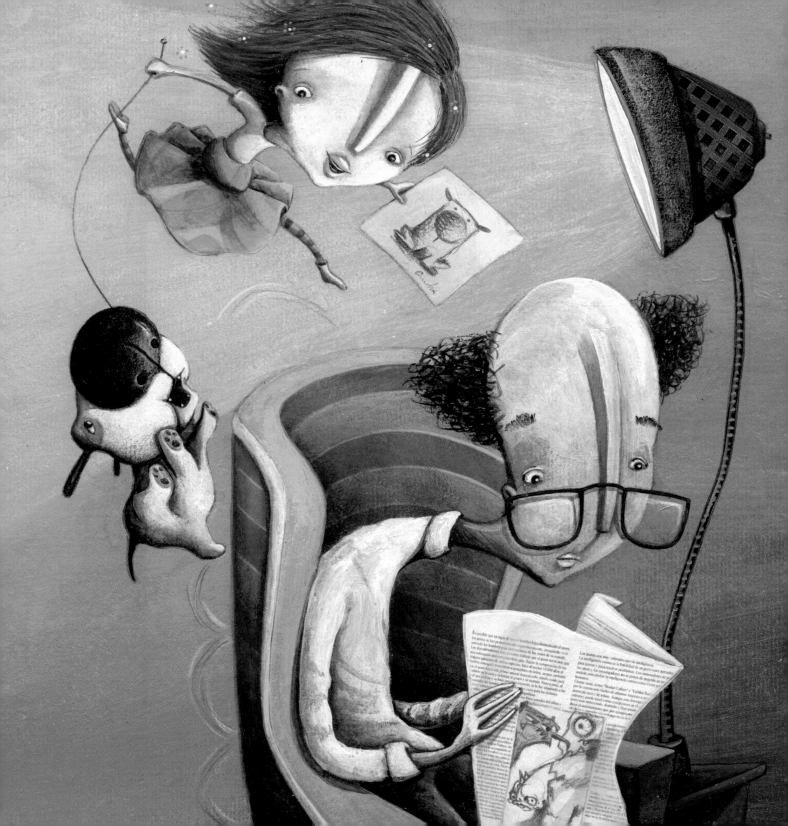

–No, Amelia, no podemos tener un perro.

Los perros ladran y necesitan muchos cuidados.

–¡Oh! –dijo Amelia, y se fue a su cuarto con la cara triste.

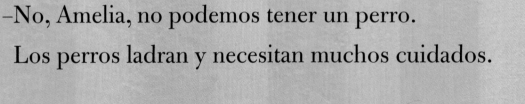

Pero al cabo de un rato volvió.

–Papá, si no podemos tener un perro,
¿podríamos tener un águila?
Le haríamos un nido aquí
y no necesitaríamos darle paseos.

–No, no podemos tener un águila.
Las águilas viven en las montañas
y necesitan mucho espacio para volar.
Un águila estaría muy triste
encerrada en una casa.

–¡Oh! –dijo Amelia,

y se fue a su cuarto con la cara triste.

Pero un poco más tarde volvió y dijo:

–Si no podemos tener un águila, ¿podríamos tener un caballo?

Le pondría obstáculos y daría vueltas con él por la cocina.

–Amelia, cariño, no podemos tener un caballo.

Los caballos viven en el campo y necesitan

mucha hierba para comer.

A un caballo no le gustaría nada vivir aquí.

–¡Oh! –dijo Amelia, y se fue a su cuarto con la cara triste.

Pero al cabo de un rato volvió otra vez.

–Papá, si no podemos tener un caballo,
¿podríamos tener un elefante?
Me despertaría con su trompa y te prometo
que me levantaré en seguida para ir a la escuela.

–¿Elefantes, Amelia?

Los elefantes son grandes,

tan grandes que uno casi no cabe en esta sala.

A ellos les gusta vivir en espacios inmensos

y muy abiertos, y rascarse la espalda

en los árboles.

No podemos tener un elefante.

Además, no podría pasar por la puerta.

Ahora, vete a jugar a tu cuarto.

–¡Oh! –dijo Amelia, y se fue a su cuarto con la cara triste.

Su padre estaba a punto
de abrir el periódico
cuando la escuchó de nuevo.

–Si no podemos tener un elefante,
¿podríamos tener una ballena?
Me montaría en su lomo
y ella me lanzaría al aire
con su chorro de agua.

–Amelia, ¡las ballenas son enormes! ¡Más grandes que toda esta casa!
Además, viven en el mar y necesitan mucha, mucha agua.

–Podríamos guardarla en la bañera –dijo Amelia, esperanzada.

–Amelia, por última vez, no podemos tener una ballena.
¡Tampoco podríamos tener ni un tigre, ni un cocodrilo,
ni un canguro, ni un hipopótamo, ni un dinosaurio!
¡Ya está! Por favor, vete a jugar a tu cuarto y déjame leer
el periódico en paz.

–¡Oh! –dijo Amelia, y se fue a su cuarto con la cara triste.

Algunos minutos después, volvió.

–Si no podemos tener

ni un águila,

ni un caballo,

ni un elefante,

ni una ballena,

ni un tigre,

ni un cocodrilo,

ni un canguro,

ni un hipopótamo,

ni un dinosaurio,

¿podríamos tener un perrito?

–¿Un perro? ¿Un cachorro?

¡Amelia, esa es una idea estupenda!

¡Un perrito no sería ningún problema!

Podremos dar paseos con él por el parque

y dormirá en tu cuarto para que no

se acerquen los monstruos. ¡Sí, sí!

¡Será maravilloso tener un perro!

Amelia abrazó a su padre y le dio un beso.

–¡Gracias! ¡Gracias! ¡Eres el mejor padre del mundo!

TE Double Jersey ist
schmiegt sich weich
TE Double Jersey ist stra
leicht zu pflegen und farbtr
en sehen: bewundernde Bli
hnen folgen. Und allen könn
n: ich bin mein eigener Mo
Wählen Sie unter diesen al
defarben: königsblau, rubin
run, saharabeige, olivgrün,
hellgrau. In allen Kauf
sätzlich
nach Ih

Amelia se fue a su cuarto pensando:

«A veces cuesta mucho convencer a los mayores,
pero al final, casi siempre, entran en razón».